働く現場をみてみよう!

めったに行けない
場所・環境の
仕事

[監修]

パーソルキャリア株式会社

"はたらく"を考えるワークショップ 推進チーム

Contents

どんな環境でも
必要とされる仕事がある …………… 4

Works 1 特殊高所技術者 ………… 6

Works 2 南極地域観測隊員 ………… 10

コラム 1 特別な環境で
仕事をする人の命を守る ………… 14

Works 3 有人潜水調査船
パイロット ………… 16

Works 4 山岳ガイド ………… 20

みんなのギモン

コラム 2 「お金」と「やりがい」
どちらが大事ですか？ ………… 24

Works 5 医療・人道援助スタッフ …… 26

Works 6 海上保安官 ………… 30

ほかにもあるよこんな仕事 ………… 35

Works 7 格闘家　**Works 8** 交通管理隊

Works 9 スタントマン

Works 10 下水道で働く人たち

※この本の内容や情報は、制作時点（2024年6月）のものであり、
今後変更が生じる可能性があります。

はじめに

　みなさんは「めったに行けない場所」と聞いて、どんなところを思いうかべますか？　めったに行けない場所はめずらしい場所でもあり、人があまり入れない場所でもあります。

　例えば、数十メートルもある鉄塔にのぼったことがある人や、マイナス70℃にもなる南極に行ったことがある人は、ほとんどいないでしょう。また、日本のように病院などの設備がととのっていない国で生活をしたことがある人も少ないと思います。世の中には、そういう場所で働きながら、みなさんの生活を支えたり、未来のために研究したり、世界の問題を解決しようとしている人たちがいます。

　「こわくないのかな?」や「大変じゃないのかな?」と思うかもしれません。

　本書では、そんな場所でどんな仕事をしているのか、また、なぜその仕事を選んだのかをしょうかいしていますので、ぜひ、読んでみてください。

パーソルキャリア株式会社
"はたらく"を考えるワークショップ 推進チーム

どんな環境でも
必要とされる仕事がある

めったに行けない場所・環境とは？

わたしたちがふだん行く場所は、家や学校、スーパー、公園など、安全で行きやすい場所ばかりです。でも、世界には、わたしたちが気軽に行けない特別な場所やきびしい環境があります。

特別な場所・環境で働く人は
必要な技術を
身につける

高いビルや南極、深海、海上、災害や戦争が起きている場所などで、特別な仕事をする人たちがいます。彼らは、訓練を受けたり、勉強をしたりして、そこで働くために必要な技術を身につけます。

その仕事をするのは どうして？

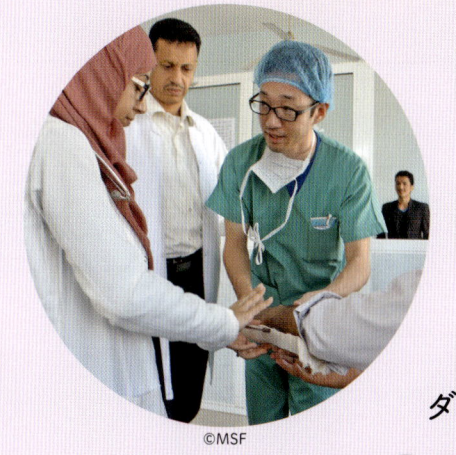
©MSF

「めったに行けない場所や環境」の仕事は、わたしたちの生活や未来と深くかかわっているものが多くあります。

ダムや風力発電の風車など、足場をつかわずロープだけで体を支えながら点検を行う人たちは、わたしたちたちの生活に欠かせない水やエネルギーの施設を守っています。

南極や深海では、地球の気候変動や生き物などに関する調査・研究を行う人たちもいます。彼らの調査・研究によって将来、新しい技術・発見が生まれるかもしれません。

また、災害や戦争が起きている場所で助けを求める人たちを支援する仕事、俳優さんに代わってむずかしいアクションをする仕事、海の安全を守るための仕事など…どんな場所・環境にも仕事があり、それらによってわたしたちの生活は支えられています。

めったに行けない 場所・環境の仕事

宇宙飛行士

南極地域観測隊員　特殊高所作業員　潜水士

火山学者　災害救助隊員　下水道管技術者

警察官・消防士　　などがふくまれます。

特殊高所技術者

橋やダムなど、高所にあるインフラ施設を身ひとつで点検する

機械がつかえない場所を点検・補修する仕事

電気やガス、水道、道路、鉄道など、生活にかかせないものをインフラ（生活を支える基盤）といいます。

とくに電気やガスは、橋、風車（風力発電用）、ダムなどの施設を通って、学校や病院、会社やわたしたちの家に届きます。施設は屋外にあるので点検や補修が必要ですが、ほとんどが高いところにあり、足で立てるくらいの場所もないので、機械をつかって楽に作業をすることができません。

そこで、人がロープなどで落下防止をしながらぶら下がって点検・補修をする技術（特殊高所技術）を持つのが、特殊高所技術者です。

どれくらい高いところで作業するの?

特殊高所技術者の仕事ができる前は、遠くから双眼鏡で見てたしかめるだけでしたが、橋やトンネルの落下事故が増えたのをきっかけに、近づいて点検する必要が出てきました。

特殊高所技術者は、"地面から高さ2メートル以上の床をつくれない場所"で、足場や重機などをつかわずに作業をします。50メートル、100メートルの高さで点検・補修をすることもあります。

おしごとデータ

- **年収** 約375万円〜
- **仕事時間** 1日6時間
- **必要な資格** 特殊高所技術の資格1級・2級・3級のいずれかが必要です。

大きな事故を防止するための点検と補修の仕事

「点検」「調査」「簡易補修」の3つの仕事を中心に、悪いところがないかを調べ、必要であれば直す仕事です。

仕事場は
地上70〜
80メートルの
高さ!?

●橋や風車などの定期点検

仕事は、国土交通省や地方自治体などから依頼されます。国が決めた点検のルールをもとに、橋、風車、ダム、岩かべ、法面（山や丘を切り開いたり、土を盛り上げたりするときにできる人工の斜面）などに登り、近づいて目で見て、傷や状態の変化を確認します。

1日5時間は
高所作業をしているよ

●橋・道路の調査や
コンクリートのひび割れ調査

橋や道路に異常がないか、コンクリートにひび割れなどがないか、近くで見てわからない変化は機械をつかって調査します。また、ハンマーでコンクリートをたたいて強度を調べ、超音波や電磁波をつかってコンクリート内の傷を調べる「非破壊検査」も行います。

塗装面などをみがく電気工具

道具を落とさない
工夫は必須

●ひび割れなどの補修工事

特殊高所技術の仕事は、主に「点検」ですが、簡単な補修（ひび割れなどの部分を直すこと）も行います。

コンクリートのひび割れをうめたり、塗装面などをみがいたり、もろくなったコンクリートをけずったり、補修材をつめたりして補修します。大きな工事の場合は、ほかの会社の人が行います。

作業でつかう特殊な服装・道具

- ヘルメット
- 筆記具
- 無線機
- フルボディハーネス
- 登高器（チェストアッセンダー）
- カラビナ（金属の輪）
- スリング（輪になったロープ）
- 下降器（ディッセンダー）
- ランヤード
- 登高器（ハンドアッセンダー）
- アブミ
- アブミ
- ひざあて

特殊高所技術者は、けがを防ぐため装備をととのえます。

まず、上下がつながった「つなぎ」を着てはだを保護します。つなぎは夏でも長袖長ズボンで、長袖をまくることは禁止されています。

また、落下物から頭を守る「ヘルメット」をかぶり、コンクリートなどのかたい場所でひざをけ

がしないように「ひざあて」を装着します。

さらに、つなぎの上から、墜落制止用器具「フルボディハーネス（安全帯）」を着用し、「カラビナ」という金具とロープをつかって体をしっかりと固定します。これらを装備することで、特殊高所技術者は高い場所でも安全に作業を行うことができます。

特殊高所技術者になるには？

一般社団法人特殊高所技術協会が主催する講習を受けると、資格がもらえます。

☑ 高所作業の知識を学ぶ

高い場所で作業するときの危険なポイントや、特殊高所技術のスキルを実際に高所で学びます。また、ロープのむすび方や機材のつかい方、どんなときにけがをするのかも勉強します。

☑ 高所作業の技術を学ぶ

一番高いところで 15 メートルになる練習用の高い建物（とう）をつかい、登り方や降り方を練習します。また、とうを横に移動する方法なども学びます。

教えて！

"特殊高所技術者さん"

株式会社 特殊高所技術
坂井 翼さん （42さい）

インフラを守る
ヒーローのような
お仕事です

Q どうして特殊高所技術の仕事を選んだの?

橋やダムの仕事を始めた技術者にさそわれて、一緒に仕事ができたら面白そうだと思ったのがきっかけです。わたしの周りだと「かっこいい」「人とちがう仕事がしたい」という理由で、この仕事を選んだ人もいますよ。

Q 食事やトイレはどうするの?

おにぎりやサンドイッチ、ゼリー飲料などを作業する場所に持って行き、ぶら下がりながら食べます。緊張しているのでトイレに行きたくなることはあまりないですが、どうしても行きたい場合は、一度降ります。

Q 働いている人は男性が多い?

男性が多い仕事ですが、女性もいます。ひと昔前は、土木の仕事といえば男性中心でしたが、最近は現場で活躍している女性も増えてきています。

Q 仕事で大変なのはどんなこと?

夏の暑い中で作業をするのがとても大変です。高い場所なので太陽に近いですし、日かげがない現場もあります。熱中症にならないように、飲み物をたくさん飲むようにしています。

Q どんな人に向いている?

まじめで、細かいところに気がつける人です。本当に大丈夫かどうか、安全を確認しながら作業することが大切なので、高い場所が平気な人よりも、苦手な人のほうが向いていると思います。

Q どういうところがやりがい?

点検で大きな傷を見つけたときです。自分が行かなかったらわからなかったことなので、やりがいを感じます。大きな傷がなかったときも、安全が確認できたということなので安心します。

2

南極地域観測隊員
(なんきょくちいきかんそくたいいん)

国立極地研究所
(こくりつきょくちけんきゅうしょ)

地球の南の果ての地で
(ちきゅうのみなみのはてのちで)
地球環境を観測する
(ちきゅうかんきょうをかんそくする)

人間による環境汚染が
もっとも少ない南極で観測

日本から、約11,000キロメートルはなれた場所に、氷と雪におおわれた「南極」があります。南極は、人間による環境汚染がもっとも少ないエリアなので、氷や空気、海を調べることで環境問題の情報を集めることができます。その調査をしているのが「南極地域観測隊員」です。

隊員は、観測する人（大学の研究者や気象庁の職員など）と、生活を支える人（医師、料理人、通信のエンジニアなど）がいて、共に過ごします。そして、夏の4ヵ月間の「夏隊」と、1年間観測をする「越冬隊」にわかれ、総勢80～100名が地球温暖化や環境変化の観測のため、仕事にはげんでいます。

低温すぎて
機械がこわれる!?

冬にはマイナス70℃にもなる南極では、低温で機械がこわれることがよくあります。ブリザード（もうふぶき）になって、調査につかうヘリコプターが飛べずにその日の観測を中止することもあります。

あまりの寒さに、凍傷（からだの一部が凍る）になったり、海の氷のわれ目に落ちてしまう危険もあります。隊員たちは、自然のトラブルと向き合いながら、できることを見つけて地道に観測しています。

おしごとデータ

年収	職種によって異なります。
仕事時間	1日8時間
必要な資格	職種によって国家資格・免許が必要な場合があります。

力を合わせ南極の環境調査を行う

安全面を確認し、しっかりと計画を立て、
南極の「地質」「氷や海」「大気」「生き物」などを観測します。

●地質調査

約 98% が雪と氷におおわれた南極ですが、2% ほどは地面が出ています。南極の岩石や湖底などの土をサンプルとして採取し、大陸の歴史の解明などを行います。

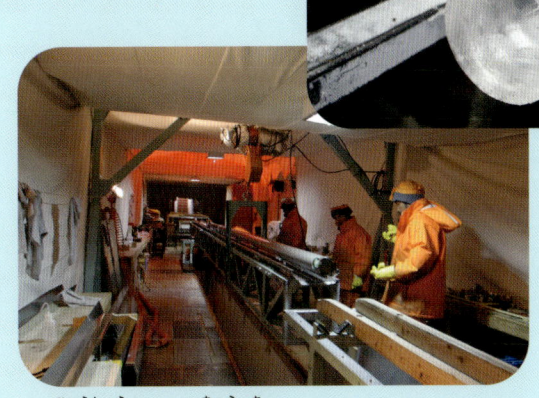

●氷床コア調査

数十万年かけて雪が降り積もり、できた南極の氷には、大昔の空気や雪が閉じ込められています。この氷を円柱にくりぬいたサンプル（氷床コア）を採取し、過去の気候や環境を調べます。

> オゾンホールは
> 日本の南極地域観測隊が
> 発見したんだ！

●大気の大循環を調査

1,000 本以上のアンテナを配置した大型の大気レーダーで、高度 500 キロメートルまでを観測し、地球の大気の状態を調べます。気候変動の予測にも役立てられています。

●海の生態系の調査

南極に生息する海洋プランクトンの観測を行ったりして、環境変動があたえる影響を調べます。

南極地域観測隊員の1日（越冬隊の場合）

7:00	8:00	9:00	10:00	11:00	12:00	13:00	14:00	15:00	16:00	17:00	18:00	19:00
起床＆朝食	観測開始				昼食	観測開始			観測終了		夕食	入浴

7 時ごろに起きて、調理担当の隊員がつくる朝食を全員で食べます。

8 時ごろから観測を開始します。外に出て活動したり、基地でデータを監視したりします。

17 時ごろに仕事を終えて、18 時ごろから全員で夕食タイム。

夕食後はお風呂に入り、自由な時間を過ごして就寝します。

南極観測の中心地
「昭和基地」

1956年から始まった日本の南極観測を支えているのが、観測や生活の拠点「昭和基地」です。

● 最大100名ほどにもなる
　隊員たちの活動拠点

南極大陸から約4キロメートルはなれた東オングル島に、昭和基地があります。この施設には、食堂や医務室、通信室がある「管理棟」、隊員が生活する「第1・第2居住棟」、電気をつくる「発電棟」など、約60棟の建物があります。観測や生活でつかう電気は、ディーゼル発電に加え、風力や太陽光を資源とする再生可能エネルギーを利用しています。

> 紫外線がとても強いから
> サングラスは必須！　防寒のため
> フェイスマスクを着用することもあるよ

> 活動にかかせない「雪上車」。
> 人員や物資の輸送などに
> つかいます

南極の寒さにたえられるように、隊員たちは「ダウンジャケット（羽毛服）」という防寒服を着ます。足が冷えないように、くつのつま先やくつ底は二重構造になっています。

教えて！

"南極地域観測隊員さん"

第64次南極地域観測隊長
伊村 智さん（64さい）

Q どうして南極地域観測隊員になったの?

みなさんもきっと見たことがある緑色の植物「こけ」の研究者として行きました。南極は、植物が生きるにはとても厳しい環境です。そんな南極でもひっそりと力強く生えているこけを探して、生存方法を調べています。

ある日の観測中、雪解け水でできた池の底に山型のこけを見つけ、「コケボウズ」と名付けました。世界初の発見です。

南極の環境が大好き！昭和基地の番人みたいな仕事があったらいいな

Q 隊長はどんな仕事をするの?

隊員たちの仕事の計画を見ながら、観測につかうヘリコプターを手配したり、日本にいる本部と連絡を取ったりと、みんなが幸せに働けるような環境をととのえる係です。また、天気があれていたら観測中止の判断をするなど、隊員たちの安全も守ります。

Q すごく寒いのに南極を好きになれるの?

空と氷と地面しかなく、においもないシンプルで美しいところが大好きです。南極にいる間、気づいたらずっとえがおなんです。

Q どんなところにやりがいがあるの?

簡単には人が行けない場所で、まだ、だれも知らない現象を目の当たりにできることです。南極は、それぞれの分野の専門家である隊員が、自分だけの研究を行える場所です。毎回、新しいことに出会えて感動することが多いとても楽しい場所です。

Q 南極地域観測隊員になるためには何から始めたらいい?

限られた人数で南極での観測を行うために、その道のプロが集まってチームをつくっています。料理、建築、通信など何でもいいので、自分の好きなことを見つけて、とことんつきつめてプロを目指してください！

特別な環境で仕事をする人の命を守る

藤井電工株式会社
墜落制止用器具

フルハーネス型は、墜落を制止したときの体への負担が分散されるようにつくられているよ

▶ 2メートル以上の高さで働く人の命を守るものづくり

「墜落制止用器具」を知っていますか？これは、配電、送電、土木、建築、消防、レスキューなどの高い場所で作業をする人たちが、落ちてけがをしないように身につける保護具です。

この器具は、高さ2メートル以上で足を置く板などがない場所で装着することが法律で義務づけられています。

タイプは2種類、「フルハーネス型」と「胴ベルト型」です。原則はフルハーネス型をつかいます。この本の8ページに出てくる特殊高所技術者さんは、フルハーネス型をつけています。

墜落制止用器具をつくる会社では、製品がしっかり機能するように、何度もテストをして確認しています。

ハーネスの素材は鉄や樹脂などで、基本的には機械で製造されますが、一部の工程では人の手でしかできない技術でつくられています。この技術を身につけるには、たくさんの経験が必要で、取材させてもらった藤井電工さんでも、限られた人しかつくれないそうで

胴ベルト型は、地面から6.75メートル以下の高さで作業するときに、フルハーネス型は、墜落時に地面とぶつかってしまうおそれがある場合につかいます。

す。

ふだん見ることのない墜落制止用器具ですが、高所作業をする人たちにとっては、なくてはならないものです。また、こういった器具をつくる仕事も、高所で働く人たちの命を守る大事な仕事だといえます。

めったに行けない場所・環境で働く人たちの
安全や安心を支える
なくてはならない仕事があります。

極地用の防寒着

南極地域観測隊が働く
極寒地での作業をサポートする服

「めったに行けない場所・環境」には、南極のような、わたしたちの想像をこえる寒さの場所・環境があります。南極は、とても寒い場所です。一歩外に出るとかみの毛がこおり、手足も寒さで動かなくなります。気温によっては、命の危険もあります。

南極のような場所で働く人にとって重要なのが防寒着です。

南極地域観測隊の人たちのような、とても寒い場所で活動する人たちのための服をつく

くつ底には氷や雪の上でもすべらない素材をつかった、保温性の高いダウンブーツ。

るのが得意な会社があります。そこでは、ダウンジャケット（羽毛服）やダウンブーツ、手袋がつくられています。

南極で、作業を助ける防寒着をつくるときは「保温性や動きやすさ」「極寒の場所でもファスナーがつかえるか」「手袋をしたままポケットがつかえるか」など、南極地域観測隊の人たちから話を聞いて、寒い中でも快適に働けるように工夫しています。

このように、防寒着を通して「めったに行けない場所・環境」で働く人たちを支える仕事もあります。

動きやすく保温性の高い防寒用のダウンジャケット（羽毛服）。

©JAMSTEC

有人潜水調査船パイロット

海洋研究開発機構／日本海洋事業株式会社

真っ暗な低温の深海で

海底や深海生物を調べる

深海ってどんなところ？

太陽の光が届きにくくなる水深200メートルより深い海を「深海」といいます。深海は真っ暗で何も見えず、水深1,000メートルぐらいの水温は2〜4℃ととても冷たいです。また、水深が深くなるほど水圧が高くなります。水深6,500メートルだと、1平方センチメートルあたり約680キログラムの力がかかりますが、例えるなら、小指の先に約4人の力士が乗った、と想定して感じる圧力だそうです。

潜水調査船を操船できるパイロット

調査船「しんかい6500」に乗って深海にもぐり、未知の生物や海底の様子を調べているのが、パイロットと研究者です。パイロットは、研究者のリクエストにそって調査船を操船します。研究に必要なサンプルを採取・探査したり、海底資源を調査したりするのが主な仕事です。

画像素材：PIXTA

おしごとデータ

仕事時間	1日8時間
必要な資格	小型船舶操縦士免許1級

有人潜水調査船「しんかい6500」

広くて深い海の研究に欠かせない存在、それが「しんかい6500」です。

©JAMSTEC/NHK

画像素材：PIXTA

●水深6,500メートルまでもぐれる調査船

地球の表面積の7割をしめる海で起きている生物起源や資源調査、海底のプレート（地殻）の動きなどを調べるために誕生したのが有人潜水調査船「しんかい6500」です。日本で唯一、人を乗せて水深6,500メートルまでもぐれる船で、深海の水圧にたえられる"耐圧殻"と呼ばれる球形のコックピットにより、パイロットと研究者の安全が保たれています。

●せまくて寒く、トイレもない空間で8時間を過ごす

調査船内は大人3人が入れるほどの空間しかありません。また、「しんかい6500」での調査時間は、海にもぐってから8時間と決められています。水深6,500メートルで調査する場合、「しんかい6500」自身の重さを利用して2時間半かけて目的の深度に到着し、3時間ほど調査して2時間半かけて浮上します。その間、トイレに行くことができません。パイロットと研究者は、寒さにたえられる専用スーツを着て、簡易トイレや介護用おむつなどを準備して乗船します。

「しんかい6500」のパイロットになるには？

点検や整備を通してシステムを理解し、パイロットの訓練に進みます

☑ 学校卒業後に日本海洋事業に入社する

「しんかい6500」を運航委託している日本海洋事業株式会社に就職すると、パイロットを目指すことができます。点検・整備で「しんかい6500」のシステムを学び、訓練をしてコパイロット（副操縦士）になり、乗船経験を積むとパイロットになれます。

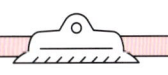

パイロットへの道のり

運航チームに入り2〜3年整備を経験

▼

数回〜数十回の訓練潜航を経てコパイロットになり、先輩パイロットとともに調査の現場へ

▼

多くの調査潜航を経験しパイロットに

調査船の点検や整備も大切な仕事

パイロットの仕事は「しんかい 6500」の操船や研究に必要なサンプル採取などがありますが、深海調査を安全に行うための毎日の点検や整備もまた大事な仕事です。

©JAMSTEC

©JAMSTEC

● 深海にもぐる前と後の 調査船の点検・整備

1989 年の誕生から、1700 回以上も深海にもぐってきた「しんかい 6500」。安全な構造であるとはいえ、年数が経つと機器がこわれやすくなるので、深海調査を行う前とあとにかならず点検と整備をします。「しんかい 6500」の機器を知りつくしているパイロットを始めとする十数名の運航チームで、調子が悪い機器がないかを検査したり、コックピットの環境をととのえたりします。

● 約 3 ヵ月かけて行う 年に 1 回の整備工事

日々、調査船の点検・整備をしているとはいえ、目で見てたしかめるだけでは気がつかない故障もあります。そこで、1 年に 1 回、耐圧殻以外のほぼすべての機器を取り外し、「しんかい 6500」を念入りに点検・整備します。約 3 ヵ月かかる大規模な整備工事で、運航チームや機器メーカーによる点検・整備だけでなく、法律で定められた船舶検査なども受けます。

深海潜水調査船支援母船 の「よこすか」。
画像素材：PIXTA

● 航海中の点検・整備は 母船「よこすか」で行う

「しんかい 6500」を調査場所まで運ぶ母船「よこすか」は、全長 105.2 メートル！　航海中の「しんかい 6500」の点検・整備は、「よこすか」にある格納庫で運航チームが行います。

教えて！

有人潜水調査船の パイロットさん

Q どうしてパイロットに なったの?

「未知なる深海の世界を見てみたい！」「最先端で世界最高の船にかかわりたい！」と思ったからです。海底のわれ目を調べることで災害が減ったり、海底にある資源を見つけることで、より良い社会につながったらいいなと思いながら調査をしています。

Q パイロットの仕事で やりがいって何?

うまく船を操縦し、目的の場所（チムニー※の目の前など）にピタッととまれたときがうれしいです。また、パイロットは研究者と連携しながら調査をするので、船の中で研究内容を教わります。最新の学問を身につけ、すばらしいメンバーと一緒に働けることもやりがいです。
※海底から高温の熱水がふき出しているえんとつ（熱水噴出孔）のこと。英語でえんとつを「チムニー」と呼ぶ。

Q パイロットは どんな人に向いているの?

パイロットは、研究者や「しんかい6500」の仲間たちと連携して働くので、しっかりとコミュニケーションをとれる人が向いています。また、海底地形の地図を見て調査場所を事前にイメージしておくことも大切なので、地図を見ることが好きな人も向いているかもしれません。

Q 仕事で大変なのは どんなこと?

調査中は、せまくてトイレもない環境で、たえず機器の状況を確認することが大変です。ちょっとでも異様な音がしたら、計測機器を確認します。また、深海調査が始まると1ヵ月近く海の上で過ごすので、長期間家族とはなれ、さみしくなることもあります。

Q 研究者と一緒に どんな調査をしているの?

深海の生き物や岩石などを採取したり、海底の断層などを調べたりしています。海底の断層からは冷たくて栄養のある水が出ていて、特殊な貝やバクテリアがいるんですよ。また、深海調査がさらに進むことを願い、機器の開発などにもかかわっています。新しい機器を深海に持って行き、動きをテストしています。

4

山岳ガイド

日本山岳ガイド協会

険しい山を一緒に登り 登山者を安全に案内する

標高8,000メートル以上の世界一の山を案内することも

山岳ガイドは、登る山を決めて登山者を案内したり、登山者が登りたい山を案内したりします。

ガイドする山のむずかしさはさまざまで、簡単な山から、世界一高い「エベレスト」（8,848メートル）まであります。標高が高いほど山は険しくなるので、山岳ガイドは「山登りの技術をみがいた専門家」として、登山者が無事に下山できるまで案内します。

「登山道のない山」の安全な登り方を教えてくれるプロ

一般的な山登りとは、登山道（歩いて登れるようにととのえられた道）を通り、案内板を見ながら進みます。

でも、山の中には案内板がなく、道ではなく岩やさわを登る「登山道のない山」もあります。登山道のない山登りでは、道に迷ったり転落したりして、命にかかわる事故も起こりやすいので、登山者の命を守るために、安全に案内してくれる「山岳ガイド」の存在が欠かせません。

おしごとデータ

年収	700～1000万円
仕事時間	登る山の険しさや案内する登山者のペースによる
必要な資格	「山岳ガイドステージⅠ」「山岳ガイドステージⅡ」「国際山岳ガイド」のいずれかの資格が必要です。

登山者に山の楽しさを伝え安全に案内する

山登りの楽しさ、岩場の安全な登り方、
季節ごとの山の危険を登山者に伝えることも仕事です。

●登山者のペースに合わせて安全に案内する

「登山者を安全に山の頂上まで連れて行き、安全に下まで連れて帰る」ことが、一番大切な仕事です。自分の体力で山を登るのではなく、登山者のペースや体調を見ながら登ります。

●登山者に岩やさわの安全な登り方を教える

険しい岩やさわは足場が不安定なため、転がり落ちたり、足をすべらせたりすることがあります。そのため、山岳ガイドがお手本を見せて登り方を教えます。

●山登りや自然の楽しさを登山者に伝える

季節によって山の景色、山でであえる花や植物の楽しさを伝えることも仕事です。登山者に山の環境を大切に思ってもらうための活動も欠かせません。

●季節ごとの山の変化に合わせて危険を予測する

春になってもとけない雪、夏の熱中症、秋の急な天気の変化、冬は雪ですべり落ちるおそれなど、季節ごとに山の危険があります。事故が起きないように、危険を想像しながら登り方を決めていきます。

● 軽くて動きやすい服装を選ぶのが基本

山を登るときは、軽くて動きやすい登山用の服や靴を身につけます。また、危険から身を守るためにヘルメット、ハーネス、ロープ、カラビナなどの道具も必要です。山岳ガイドは、登山者を案内する前に道具をかならず確認します。

山岳ガイドになるには？

日本山岳ガイド協会が主催する講習会で学び
試験に合格したら
山岳ガイドの資格があたえられます

☑ 教室でどんなことを学ぶの？

講習会などで山登りの知識を学び、実際に山に行って登り方や道具のつかい方を練習します。同時に、登山者の安全を守るために、けがや事故が起きたときの助け方も勉強します。また、登山者に山登りを楽しんでもらうために、ガイドとしてのマナーも学びます。

けがをした人を安全にはこぶ訓練。

☑ 資格について

山岳ガイド資格には、3つのレベルがあります。

- ●ステージⅠ…日本の山のうち、岩やさわをロープや手で登るやさしいルートを案内できる人
- ●ステージⅡ…ステージⅠの資格を持ち、日本の山ならば季節を問わずどこでも案内できる人
- ●国際山岳ガイド…日本だけでなく、国際山岳ガイド連盟に加盟の外国の山も案内できる人

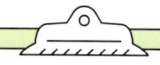

山岳ガイドが活躍できる主な就職先

- ●スポーツメーカー
- ●スポーツウエアメーカー
- ●アウトドアグッズ会社
- ●フリーの山岳ガイド　など

教えて！

" 山岳ガイドさん "

この仕事 28年目

北アルプスの穂高岳という山が大好きです！

日本山岳ガイド協会
武川 俊二さん（69さい）

 **どうして山岳ガイドになったの？**

山登りが大好きで、山岳ガイドになる前は山についての雑誌をつくっていて、山のしょうかいや登り方、事故を防ぐ方法などの情報を届けていました。でも、ガイドとして、実際に山に行きたい人たちを案内したいと思うようになったんです。

 **どんな人に向いているの？**

相手をよく見て、話をするのが好きな人だと思います。山岳ガイドは、登山者の体調やペースを見ることも大切な仕事です。「体調は大丈夫ですか？」「ペースを落としましょうか？」と気をつかうことが、登山者を安全に案内するためにとても大切です。

 **どういうところが楽しい？**

案内した登山者の方々が「こんなところへ登れた！」と喜んでくれることがうれしいですね。「自分だけでは、こんな険しい山に登れなかった！ 登れてよかった」と言ってもらえるのがやりがいになります。

 今まで登った山の中で過酷だったことは？

標高4,000メートルほどの山を登ったとき、岩のかげで3日間ふぶきをたえたことがありました。かみなりも鳴って、どうなるかと思いましたが、無事に山を下りると、達成感で大変だったことをすっかりわすれてしまい、また、山に登りたくなりました。

 **山登りは大変なのにどうして何度も登るの？**

同じ山を何度も登っても、ちがう道を行くと新しい発見があります。道がくずれたり、木がたおれたりして、山はいつも変わります。山もわたしたちと同じように、生きているんだと感じると、また登りたくなるんです。

 **山岳ガイドになるためには何から始めたらいい？**

山に登る機会があったら、初めて山登りをしたときの感動を大切にしてください。そして、その感動を友だちや家族に「どう伝えようかな？」と考えてみてください。

「お金」と「やりがい」
どちらが大事ですか?

あなたにとって「お金が大事な理由」と「やりがいが大事な理由」は何ですか?
まずは、そこから考えてみましょう。

お金とやりがい
どちらも意味がある

みなさんは「お金」と「やりがい」、どちらが大切? と聞かれたらどう答えますか?

「お金」と答えると、欲張りな人に聞こえてしまうかもしれませんが、「お金」は、ある側面ではとても大切です。飲んだり食べたり、学校で勉強したりする毎日の生活や、旅行や習いごとなどの体験にも、お金を必要とする場面が多いからです。

一方「やりがい」は、心が満たされ楽しいと感じたり、明日もがんばろう! と前向きになれたり、目標を達成する喜びや、自分自身の成長を実感することができます。

では「やりがいのほうが大事?」と聞かれるとけっしてそうとはいえません。やりたいことを実現するためには、お金によって便利になる場面もあるからです。

また、お金を稼ぐためには、あきらめない心や問題に立ち向かう強さも必要で、そこにやりがいを感じることもあります。

お金が
大事!

やりがいが
大事!

お金とやりがい、大事なのはその人の考え方でちがっていい

「お金」と「やりがい」のどちらが重要かは、人によってちがっていいものです。生まれた場所や育った環境によって、お金ややりがいへの考え方が変わるからです。

わたしたちが働いて得られる「価値」は、一つだけではありません。「お金」もあるし「やりがい」もあるし、成長や人とのつながりもあります。10人いれば10通りの「価値」が存在するものです。

ある地域では、より多くのお金を持つことに価値を見出していますが、ある地域では、お金よりも貝がらのほうが価値があることもあります。世界には、いろいろな価値観や取引のスタイルがあるのです。

「お金」と「やりがい」については、仕事を選ぶときにも悩むことでしょう。そのとき、みなさんはどのように仕事をしたいのか、仕事を通して得たいと思うものは何か？　大事にしたいことは何か？　を考えることがとても大切です。

> どちらが大事なのかは、
> あなたが何を大事にしたいのかによって、
> 変わります。だから人とちがっていいんです。

木原ひとみ　パーソルキャリア株式会社
"はたらく"を考えるワークショップ推進チームより

©MSF

医療・人道援助スタッフ

国境なき医師団

世界各地にかけつけて
一人でも多くの命をつなぐ

国境なき医師団とは何をする団体？

紛争、自然災害、感染症、貧困などで、命の危険にさらされている人を助ける団体のひとつに「国境なき医師団」があります。実際に現地で援助を行っているのが、この団体に所属する医療・人道援助スタッフたちです。また、助けに行った地域で目にした暴力や、弱い立場の人たちの言葉や姿を世界中に伝える「証言活動」も行っています。

どういう人たちが活動しているの？

現地で、けがや病気を治したり予防したりする活動をしているのは、医師、看護師、心理士、薬剤師などの医療スタッフです。でも、それだけではなく、医療スタッフを助ける非医療スタッフもいます。非医療スタッフは、お金やスタッフの管理、薬や食べ物の調達、水や電気の整備など、現地での活動全体を支えています。

おしごとデータ

年収 約276〜684万円
（職種や経験などをもとに計算）

仕事時間 派遣先の地域によって異なります。

必要な資格 医療スタッフの場合は、医師や看護師になるための国家資格・免許のほか、専門医療の資格が必要。非医療スタッフの場合は、職種によっては国家・民間資格や免許が必要です。

世界中で命を守るために活動する

けがや病気の手当てだけではなく、生活に必要な物資を送ったり心の健康を保てるように支えたりする活動もしています。

©Joffrey Monnier/MSF

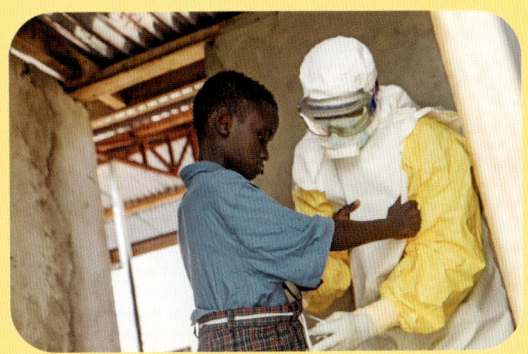
©MSF

●診療に必要な物資を届ける

戦争や暴力、地震や台風などの自然災害でけがをした人を診察して治療します。また、栄養のある食べ物や安全な飲み水、治療に必要な薬、毛布などを届けて、人々の生活を支えます。

●感染症などの治療と予防

新型コロナウイルス感染症、エボラウイルス病、子どもがかかりやすいはしかなどの病気を治療します。また、ワクチンを打って病気の広がりを防ぎます。

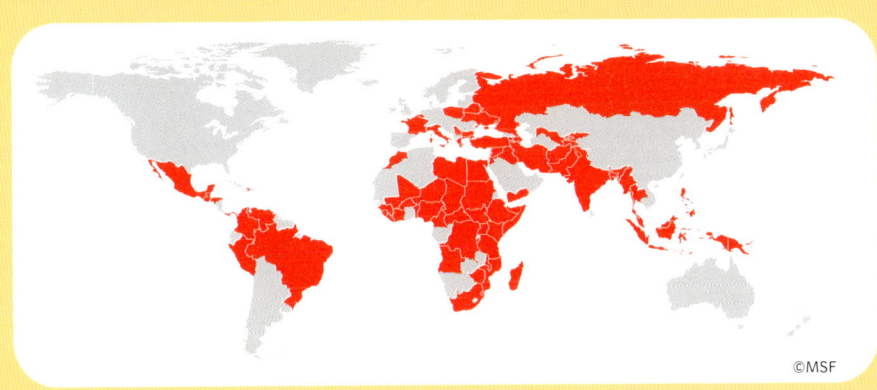
©MSF

国境なき医師団が活動している地域（■ 色の地域）。難民キャンプ、紛争地、途上国のへき地、自然災害の被災地などで活動しています。

●心のケア・社会的な支援

けがだけでなく、心に傷を負った人たちの悩みを聞いて解決できるように助けます。元気になって社会にもどれるようにサポートもします。

●問題解決を世界へ投げかける

弱い立場の人たちが受けている人権侵害（暴力や虐待など）について、世界中に知らせて、問題を解決するために積極的に行動しています。

©MSF

©Paulo Filgueiras

医療または非医療スタッフとして参加するためには、
その道のプロとしての知識や経験が必要です

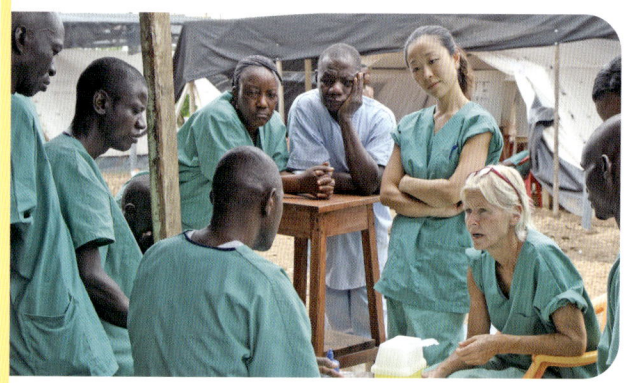

©P.K. Lee/MSF

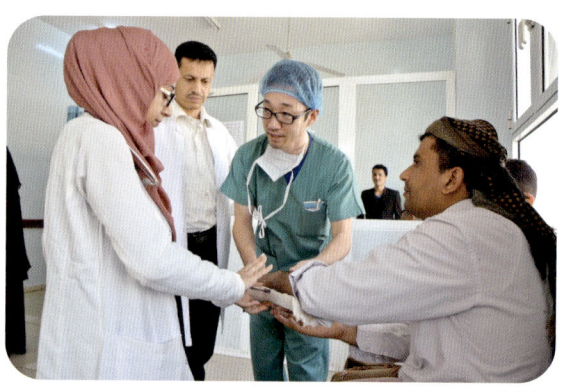

©MSF

☑ 医療スタッフになるには

医療スタッフとして治療などを行うには、資格や免許が必要です。また、資格や免許だけでなく、実際にけがをした人や病気の人を診察したり、治療を助けたりした経験も必要です。

☑ こんな職業の人がいるよ

- ●外科医　●産婦人科医　●麻酔科医
- ●救急医　●小児科医　●精神科医
- ●内科医　●助産師　●薬剤師
- ●看護師　●感染症専門医
- ●心理士　●疫学専門家　など

©MSF

©MSF

☑ 非医療スタッフになるには

非医療スタッフは、スタッフやお金を管理する「アドミニストレーター」、物資の手配や診療室の建設、車の修理をする「ロジスティシャン」、チームをまとめる「プロジェクト・コーディネーター」の3つに大きく分かれます。それぞれの仕事には、専門の資格や経験が必要です。

☑ こんな職業の人がいるよ

- ●財務・経理　●人事　●総務
- ●電気工事士　●車両整備士
- ●建築士　●水道技術管理者
- ●医療機器サービスエンジニア　など

教えて！

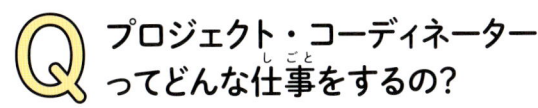

"「国境なき医師団」で働く人"

プロジェクト・コーディネーター
下山 由華さん（41さい）

活動に参加してから食事を残すことがなくなりました

Q プロジェクト・コーディネーターってどんな仕事をするの？

現在はフィリピンで、スタッフの安全管理、助けに行く地域での受け入れの調整、チームの統率、地域で緊急事態が起きたときの調査といった4つの仕事をしています。

Q 日本語以外にも話せたほうがいい？

スタッフとは、英語やフランス語でコミュニケーションをとるので、語学は必要です。わたしは、もともと英語が得意というわけではありませんでしたが、仕事をしながらスタッフから学んでいます。

Q どうして「国境なき医師団」に参加したの？

別のNGO団体に参加し、イラクで働いていたとき、「国境なき医師団」の看護師さんと出会いました。危険な地域にいるのにとても生き生きとした表情で、その方と話したときに「緊急援助」への気持ちをさらに強く持ちました。

Q どんな人に向いていますか？

自分の意見を言うことに、ものおじしない人です。いろいろな国籍のスタッフと関係を築く必要があるので、人の話を聞いて、調整（「和」を大切に）できる人も向いていると思います。

Q 今まで行った地域の中で大変だったのはどこ？

紛争地域のパキスタン、シエラレオネ、南スーダンに行き、幸いなことに身の危険を感じたことはありませんでしたが、住人が丸太でつくった橋を車でわたろうとしたら落ちました。橋や道が整備されていない、といった危険もあります。

Q 活動に参加するためには何から始めたらいい？

理科や数学が得意なら医師への道もあるかもしれませんし、文系ならわたしのような仕事があります。いつか、「国境なき医師団」の活動に生かせるように、自分の好きなことや得意なことを見つけて、大切にしてくださいね。

海上保安官
（かいじょうほあんかん）

海上保安庁
（かいじょうほあんちょう）

日本の海の安全を守る
パトロール隊

船艇、航空、陸上が協力し
24時間海を見守る

海で起こる事件や犯罪、海難事故、災害、海の汚染から人々を守り、海の安全を守るのが「海上保安官」です。簡単に言うと、「海の警察官・消防士」のような人たちです。

海上保安官には、巡視船で海を見回る「船艇チーム」、飛行機で空からパトロールする「航空チーム」、船の交通整理や船と航空機の運用を調整する「陸上チーム」があります。この3つのチームが協力して、海に囲まれた日本で暮らすみんなの安全を守っています。

電波が届かない場所
緊張感のある「海」の現場

海は、波が高くなって船がゆれたり、暴風雨であれたりして危険がいっぱいです。陸から遠くはなれた海では電波が届かず、情報が途絶えることもあります。命にかかわる場所だからこそ、海上保安官は現場で働くときと同じ緊張感を持って、たくさんの訓練をしています。

制服は海上保安官の証です。階級によって、そでや胸、かたにある「階級章」が変わります。ふだんの仕事では、動きやすい作業着のような制服を着ています。

こん色の制服は冬服、
白色の制服は夏服です

海上保安官の主な仕事

海上保安官には多くの仕事があり、それぞれ約 14,000 人の海上保安官が力を合わせて日本の広い海を守っています。

●海の警備

違法な集団や銃器をつかった犯罪を見つけ、特別な技術を持つ警備隊が立ち向かいます。

【警備の仕事をする人たち】
特別警備隊／特殊警備隊／運用司令センターの運用官／探索レーダー士／携行武器指導官／無操縦者航空機の運用官　など

●救助・犯罪の捜査

外国で津波などの自然災害が起きたとき、緊急援助隊として派遣されます。また、密輸・密航、海賊などの国際的な犯罪の捜査を行います。

【国際的な仕事をする人たち】
緊急援助隊／国際組織犯罪対策基地／捜査官／外交官／ソマリア周辺海域派遣捜査隊／派遣協力官／JICA 長期専門家　など

●人命の救難・海の防災

海でおぼれた人を助けたり、転覆した船から人を救出したりします。船火災が起きた際には、消火活動をします。

【救難・防災の仕事をする人たち】
救急救命士・救急員／潜水士／機動救難士／機動防除隊／機動情報通信隊／特殊救難隊／運用司令センターの運用官／探索レーダー士　など

●捜査の解析

海上で起きた事件現場で、指紋などの証拠を集め分析します。また、航海計器や携帯電話に残った記録を解析して事件を解決します。

【捜査の仕事をする人たち】
鑑識官／犯罪情報技術解析官／試験研究官／制圧指導官／国際組織犯罪対策基地／捜査官　など

●海洋調査

海底の地殻構造や海の火山を調べて、地震や火山噴火、防災に役立つ情報をつくります。また、南極地域観測隊にも加わります（10ページ参照）。

【海洋調査の仕事をする人たち】
海洋調査官／海洋防災調査官／南極地域観測隊員／大洋調査官／海洋情報編集官　など

●システムの管理・保守

保安活動に関する「基幹システム」を管理します。外部からのサイバーこうげき（システムをこわしたりデータをぬすんだりすること）からシステムを守ります。

【システムの仕事をする人たち】
サイバーセキュリティ対策官／情報処理官　など

●船艇や航空機の整備

巡視艇やヘリコプターが安全に動くように整備したり、海でつかう武器をつくったりします。

【整備の仕事をする人たち】
建築士／船舶工務官／航空機技術官／武器技術官　など

●海上の交通安全

船同士がぶつからないように、また、ちがった航路に進まないように、必要な情報を365日提供します。この仕事を「管制」と呼びます。ほかにも、「航路標識」を設計して、海上の交通安全を支えます。

【交通安全の仕事をする人たち】
海上交通センター運用管制官／航行援助管理官　など

おしごとデータ

月収　例として／海上保安学校卒、大型巡視船の士補、25さい、独身（4/1入学時18さい）約27万円、海上保安大学校卒、大型巡視船の主任、25さい、独身（4/1入学時18さい）約29万円※海上保安庁の給与（諸手当をふくむ）は、一般職の国家公務員の給与に関する法律等の法令の定めに従い支給されています。

仕事時間　1日8時間　**必要な資格**　船艇の操船や航空機の操縦などに関する資格が必要です。
※必要な資格は海上保安学校や海上保安大学校で取得できます。

海上保安官になるには？

「海上保安学校」 や 「海上保安大学校」 で
知識や技術を学びます

京都府舞鶴市にある海上保安学校。

広島県呉市にある海上保安大学校。

☑ 海上保安学校で学ぶ

　海上保安庁で働くための海上保安官を育てる学校です。「一般課程（航海コース、機関コース、通信コース、主計コース、航空整備コース）」「航空課程」「管制課程」「海洋科学課程」などがあり、それぞれを1年または2年間かけて学びます。興味のある専門コースを選び、船にかかわる資格や海上犯罪の取りしまりなどの知識も勉強します。

☑ 海上保安大学校で学ぶ

　海上保安庁のリーダーを目指す人のための学校で、約4年間学びます。
　海上保安学校と同じように、船や飛行機の技術や資格の取得をしながら、法律や憲法のことも学びます。2020年からは、大学を卒業した人も入学できる「初任科」というコースができました。

教えて！
"海上保安官さん"

海上保安官
上戸 智士さん（32さい）

一緒に訓練をがんばった仲間とは、いつまでも仲がいいんだ

どうして海上保安官の仕事を選んだの？

ゆたかな海がある長崎県で生まれ育ち、海に行く機会も多かったので、海上保安官ってかっこいいと思い目指しました。海上保安学校や海上保安大学校は、入学金も授業料も必要ないので、お金の負担がないのも大きな理由です。

やりがいはどんなこと？

海での活動をみなさんに見てもらえる機会はなかなかないので、テレビなどで活動を知ってくれた人たちから応援の声をもらえると、やる気が出ます。家族に「がんばってたね」と言ってもらえることもうれしいです。

どんな人に向いている？

人を喜ばせることが好きな人でしょうか。また、みんなとコミュニケーションを取りながら協力し合えたり、ねばり強くがんばれる人も向いていると思います。

ずっと船の上で仕事をするの？

大型の巡視船でパトロールするときは、最長で1ヵ月船上にいることもあります。船で仲間と生活を共にしながら、食事やねとまりをします。

海で安全に働くために心がけていることは？

毎日の訓練を、実際に仕事をするときと同じように真剣に行うことです。

「危険」は、自分ができないことをしようとすると起こるので、何が起きてもその状況に対応できるようにたくさん訓練をしています。訓練中にできなかったら現場でもできないので、訓練を重ねてできることを増やしています。

ほかにもあるよ こんな仕事

これまでしょうかいした仕事のほかにも、人々に感動をあたえたり、わたしたちの生活を守ったりするために、さまざまな環境で働く人たちがいます。

STYLE高等学院

格闘家

チャンピオンを目指し
わざをみがいて戦う

パンチやキックなどの
わざをみがいて相手をたおす

格闘家は、「パンチ」（こぶしで打つ）、「キック」（足でける）、「ねわざ」（ね転がった姿勢で行う）などのわざで戦う人たちです。試合に勝つとお金がもらえて、強い相手と戦ったり、「チャンピオン」に近づくと、もらえるお金が増えます。

格闘家の目標は、「チャンピオン」になることです。そのために、「体をきたえる」「相手の得意なことや苦手なことを調べて、戦い方や練習方法を考える」「自分の力を信じる」ことをしっかり考えて練習します。

人を喜ばせるために
練習や減量も乗りこえる

格闘家は強くてかっこいいですが、強さを保ち、「チャンピオン」になるために、毎日厳しい練習をしています。また、試合は体重別に分かれているので、ときに体重を減らすことも必要になります。

それでもがんばれるのは、応援してくれる人たちがいるからです。全力で戦うことで、「すごかったよ」「勇気をもらった」とはげましてくれる人たちの存在が、大きな支えとなり、むずかしい挑戦を乗りこえさせてくれます。

おしごとデータ

年収 ～数千万円
選手の強さや試合の大きさによって「ファイトマネー」の金額が変わります。

仕事時間 試合に向けての練習時間は人によってちがいます。

必要な資格 戦い方の種類ごとにライセンスを取得します。

ネクスコ・パトロール関東

交通管理隊

高速道路の落とし物を回収し

ドライバーの安全を守る

高速道路の落とし物を回収する交通管理隊

高速道路では、トラックなどが走っているときに荷物を落とすことがあります。例えば、はしご、木材、ビニールシート、ダンボールなどです。大きさに関係なく、高速道路を走る車にとって落とし物は、とても危険で事故につながることがあります。

事故を防ぐために、24時間365日、落とし物を見つけて回収するのが「交通管理隊」です。交通管理隊は、高速道路で安全に作業するために、2人1組で高速道路専用の道路パトロールカーで見回りながら落とし物を回収します。このとき、チームワークがとても大切です。

時速100キロメートル以上の車がすぐ横を走る道が仕事場

交通管理隊は、時速100キロメートル以上の車が行き交う高速道路で作業するため、特別な訓練を受けた人だけが働けます。雨や雪、台風の日でもパトロールをし、夜勤もあるので、体力と精神力が必要です。

交通管理隊になるには、まず普通自動車免許を持ち、高速道路パトロール会社などに入社してから、技術や専門知識を身につけるといいでしょう。

高速道路を走る車に、落とし物を回収していることを知らせる交通管理隊。

おしごとデータ

年収 370万円～470万円

仕事時間 1日8時間くらい
（日勤：9:00～17:30、夜勤：17:00～翌9:00）の交代制勤務

必要な資格 普通自動車免許

オフィスワイルド

スタントマン

俳優に代わって

大迫力のシーンで活躍！

戦闘、火だるまなどの危険な場面をけがなく演技する

テレビドラマや映画、イベントなどで、「高いところから飛び降りる」「空中で飛び回る」「火だるまになる」「爆破」「戦う」などの危険な場面で、俳優の代わりに演技をする人を「スタントマン」といいます。

スタントマンがドラマや映画に出演するときは、その俳優に似ている体型の人が選ばれます。そうすることで、俳優本人が演技をしているように見えるからです。俳優本人が危険な場面を演じるときは、スタントマンが指導者となって、安全な演技の仕方を教えます。

どんな人がスタントマンになれるの？

スタントマンは体をつかう仕事なので、運動能力が高いことが大切です。でも、それだけでは、安全に仕事をすることはできません。けがをしないように飛んだり転んだりするには、高い技術を身につけ、毎日の練習をする必要があります。

スタントマンになるために特別な資格は必要ありませんが、スタントマン養成スクールなどに通って、体のつかい方やアクションでの動き方を学ぶのが近道です。

おしごとデータ

年収 仕事の内容によって金額が変わります。

仕事時間 ショーやイベントの場合は1〜3時間。テレビドラマや映画の場合は朝から深夜までかかることもあります。

必要な資格 自動車やバイクに乗ってアクションをする場合は、運転免許が必要です。

下水道で働く人たち

東京都 下水道局

マンホールから下水道管へ入り、機械をつかって点検中。

水再生センターの中央監視室。

町を清潔に保ち

よごれた水を再生させる下水道の仕事

わたしたちの町を清潔に保つ「下水道」

わたしたちは、生活の中でたくさんの水をつかいます。つかい終わったよごれた水は、それぞれの家の「汚水ます」に流れるようになっています。また、降った雨の水は「雨水ます」に流れ、家や町が水びたしにならないようになっています。この汚水と雨水を合わせて「下水」といい、下水が通る道を「下水道」といいます。

下水は、下水道管を通って「水再生センター」へ送られ、約1日かけてきれいな水に再生されます。きれいになった水は、再生水としてトイレなどにつかわれたり、川や海に流されたりします。

24時間365日わたしたちの生活を守る仕事

下水が通る下水道管は、地面の下にあり、24時間365日休むことなく流れています。下水道管を管理する人たちは、下水道管にゴミがつまって汚水の流れがわるくなったり、下水道管にひびが入ったりしていないかを定期的に点検し、掃除もしています。

水再生センターでは、水を監視する人、汚水をきれいにする機械を点検する人、水質を検査する人など多くの人が働いています。わたしたちは、下水道にかかわる仕事を目にすることはありませんが、わたしたちの生活を快適で安全にするために、とても大切な役割を担っています。

おしごとデータ

仕事時間 働く施設や仕事内容によって異なります。

必要な資格 下水道管路管理技士、排水設備工事責任技術者など、仕事内容によって異なります。

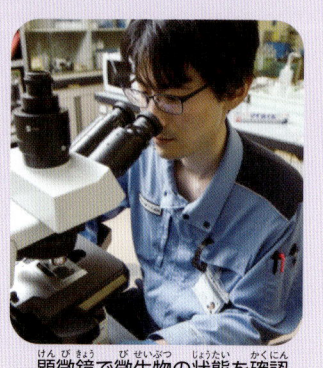

顕微鏡で微生物の状態を確認。

さくいん

あ行

医療・人道援助スタッフ ···· 26
インフラ ················ 6

か行

海上保安官 ···· 30、31、33、34
海上保安学校 ·········· 33
海上保安大学校 ········· 33
格闘家 ················ 35
環境調査 ·············· 11
下水道 ················ 38
高速道路の落とし物 ····· 36
交通管理隊 ············ 36
国境なき医師団 ······· 26〜29

さ行

山岳ガイド ·········· 20〜23
証言活動 ·············· 26
昭和基地 ·············· 12
深海調査 ············ 18、19
深海 ·············· 16〜19
しんかい 6500 ······ 16〜19
スタントマン ·········· 37

た行

墜落制止用器具 ········ 8、14
特殊高所技術者 ··· 6、8、9、14

な行

南極地域観測隊員
·············· 10、11、13、32

は行

防寒着 ················ 15

ま行

水再生センター ·········· 38

や行

有人潜水調査船（の）
パイロット ········· 16〜19

●**監修：パーソルキャリア株式会社**
" はたらく " を考えるワークショップ推進チーム

パーソルキャリア株式会社では、全国の小・中学校向けに " はたらく " を考えるワークショップを無償提供しています。
2023年度までに、全国で565回、300校/33,000名以上の児童や生徒に、しごとやキャリアについて考え、生きる力を身につけるプログラムを実施してきました。これからも子どもたちのキャリアオーナーシップを育む機会提供を行っていきます。

●**取材・ライティング**：太田菜津美／ Niko Works
●**写真**：PIXTA：P5、P16、P17、P18、P21、P22、P37
●**参考文献・引用**：
「みんなの下水道（しくみとはたらき）」（東京都下水道局）、
「下水道マスターになろう！　下水道アドベンチャー」（東京都下水道局）

働く現場をみてみよう！

めったに行けない場所・環境の仕事

2024年8月10日発行　第1版第1刷Ⓒ

監　修　パーソルキャリア株式会社
　　　　" はたらく"を考えるワークショップ
　　　　推進チーム

発行者　長谷川 翔
発行所　株式会社 保育社
　　　　〒532-0003
　　　　大阪市淀川区宮原3−4−30
　　　　ニッセイ新大阪ビル16F
　　　　TEL 06-6398-5151　FAX 06-6398-5157
　　　　https://www.hoikusha.co.jp/
企画制作　株式会社メディカ出版
　　　　TEL 06-6398-5048（編集）
　　　　https://www.medica.co.jp/
編集担当　中島亜衣／二畠令子／佐藤いくよ
編集協力　NikoWorks
装幀・デザイン　坂本真一郎／ NikoWorks
イラスト　kikii クリモト
校　閲　香風舎 石風呂春香
印刷・製本　株式会社精興社

ISBN978-4-586-08676-4　　　　　　　　　Printed and bound in Japan
乱丁・落丁がありましたら、お取り替えいたします。